치욕을 씻고 공을 세우다

원술

원작 김부식 글 구들 그림 원유일 감수 최광식

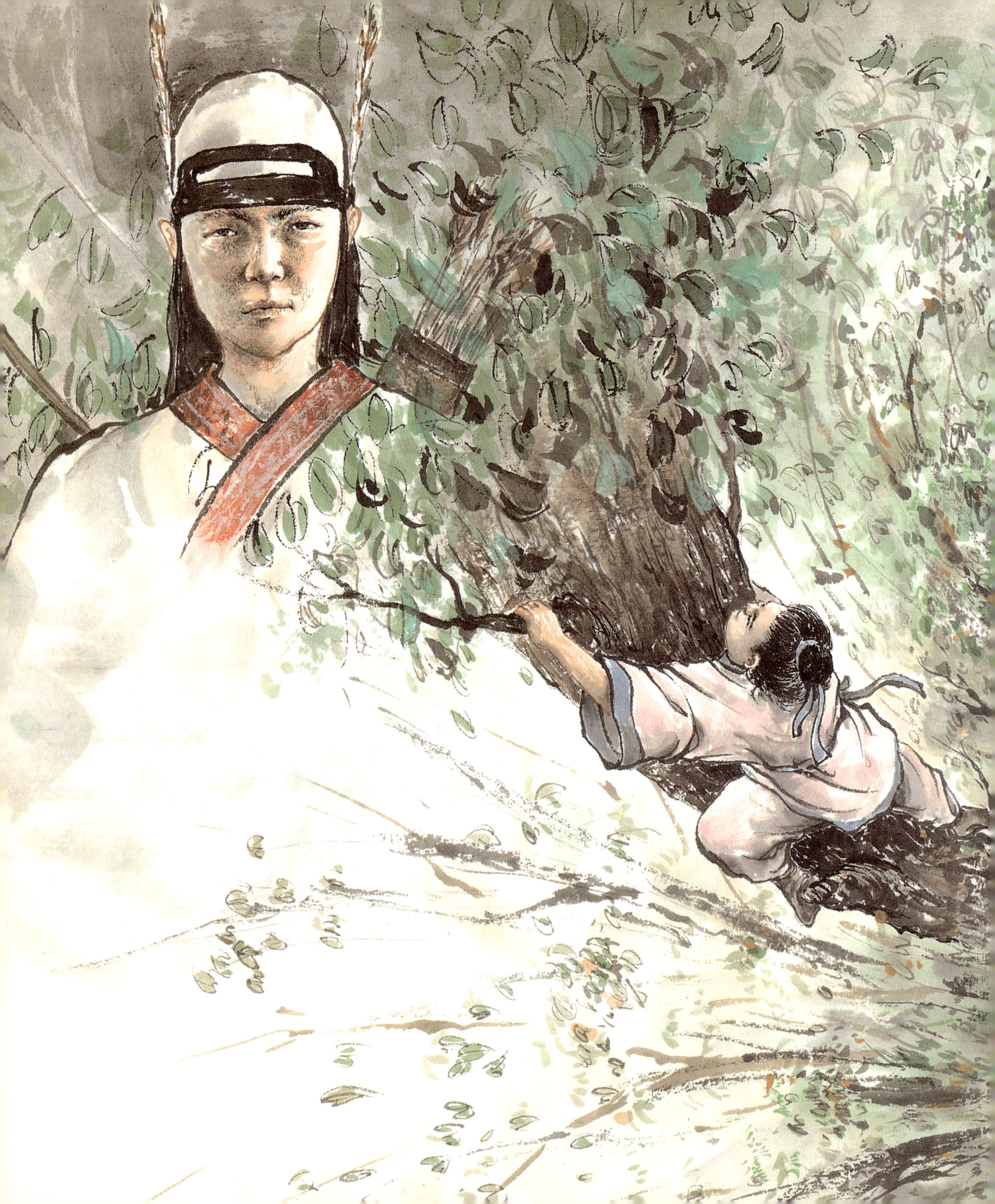

서라벌*의 여름은 무더웠어요.
그날도 하루 종일 햇볕이 쨍쨍 내리쬐었지요.
맴맴맴 매애애앰.

나무 위에서 매미들이 울어 댔어요.
높은 나무 위를 다람쥐처럼 재빨리 올라가는 소년이 있었어요.
바로 김유신 장군의 둘째 아들 원술이었지요.
나무 밑에서는 원술의 형인 삼광과 아우인 장이, 원망이가
손에 땀을 쥐고 나무를 올려다보고 있었어요.
막내 원망은 겁이 나는지 울먹이며 말했어요.
"원술 형! 내려와. 떨어지면 다치잖아. 나 매미 안 가져도 돼."
"원망아! 걱정하지 마. 내가 꼭 매미를 잡아 줄게."
원술이 야무지게 대답했어요.

*서라벌 : 신라의 옛 이름

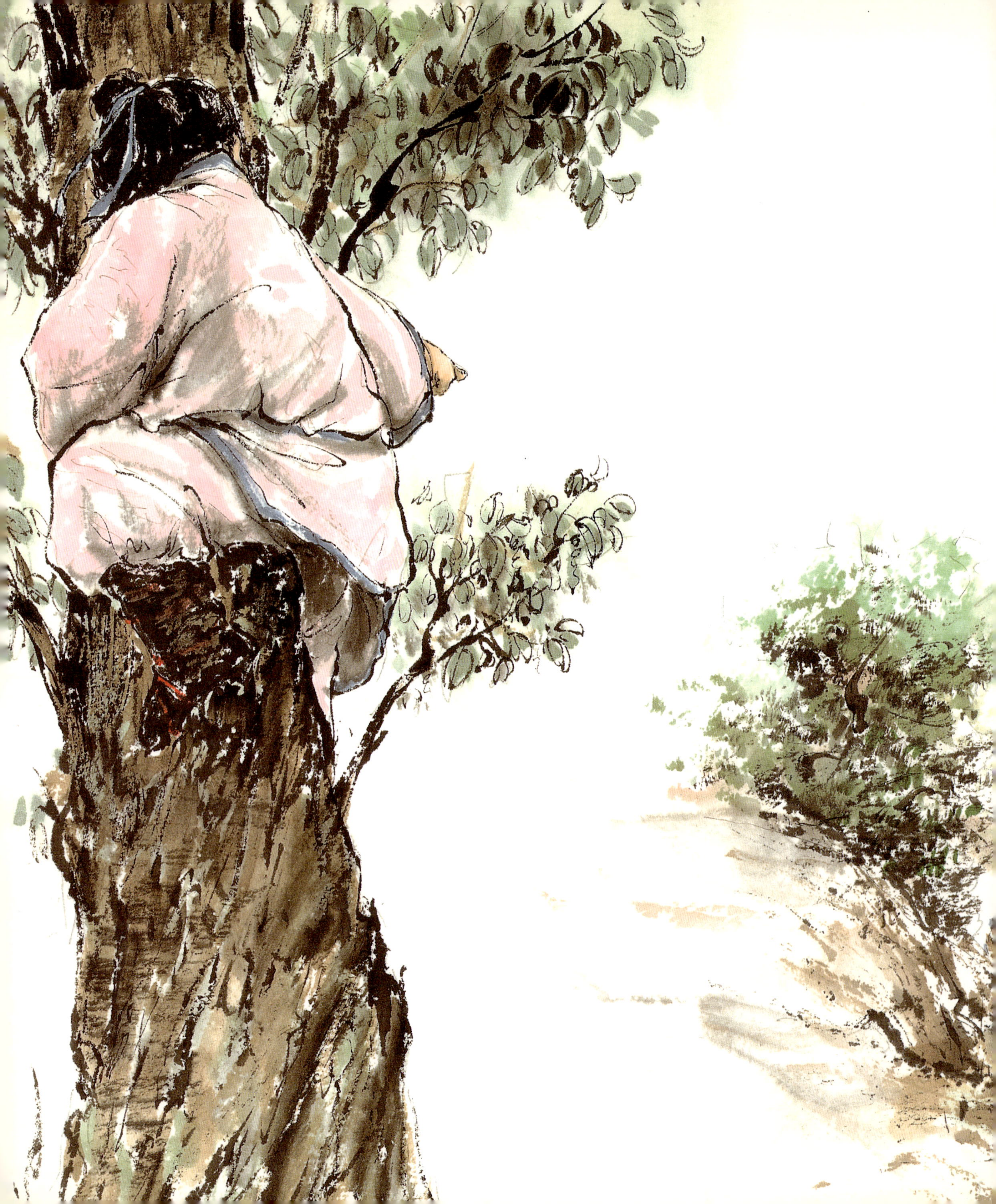

나무 위에 있던 원술은 저만치서 마을로 들어오는 군대를 보았어요.
원술의 얼굴이 환해졌어요.
"형! 신라군이 돌아오고 있어. 아버지가 돌아오고 계셔!"
원술의 말에 삼광과 다른 형제들은 만세를 부르며 달려 나갔어요.
원술도 서둘러 매미를 잡아 호주머니에 넣고는 나무를 내려왔어요.
원술의 아버지 김유신은 신라의 용맹한 장군이었어요.
김유신은 신라에 쳐들어온 백제와 전쟁터에서 싸워 이기고 돌아오는 길이었지요.
"만세! 김유신 장군이 승리하고 오셨다."
백성들은 거리로 쏟아져 나와 만세를 부르며 춤을 추었어요.

김유신은 막내 아들 원망과 장이, 그리고 첫째 삼광을 차례로 안아 주었어요.

그런데 원술이 매미를 들고 있는 걸 보고는 호통을 쳤어요.

"고얀 놈! 아버지와 군사들은 목숨을 걸고 적과 싸우는데

너는 죄 없는 매미나 잡고 있었단 말이냐?"

김유신의 호통에 원술은 화들짝 놀랐어요.

이때 삼광이 나서서 원술을 감쌌어요.

"아버지, 원망이가 매미를 잡아 달라고 한 것입니다."

그러자 김유신은 원술에게 더 화를 냈어요.

"동생이 철이 없어 생명을 죽이려 하면 네가 말려야 하거늘……."

아버지의 호통에 원술은 눈물을 흘리며 어딘가로 달려갔어요.
'어째서 아버지는 나만 미워하실까?
나는 형보다 글공부도 훨씬 잘하고 무예 실력도 뛰어난데
아버지는 나만 미워하셔.'
원술은 눈물을 닦으며 계속 달렸어요.

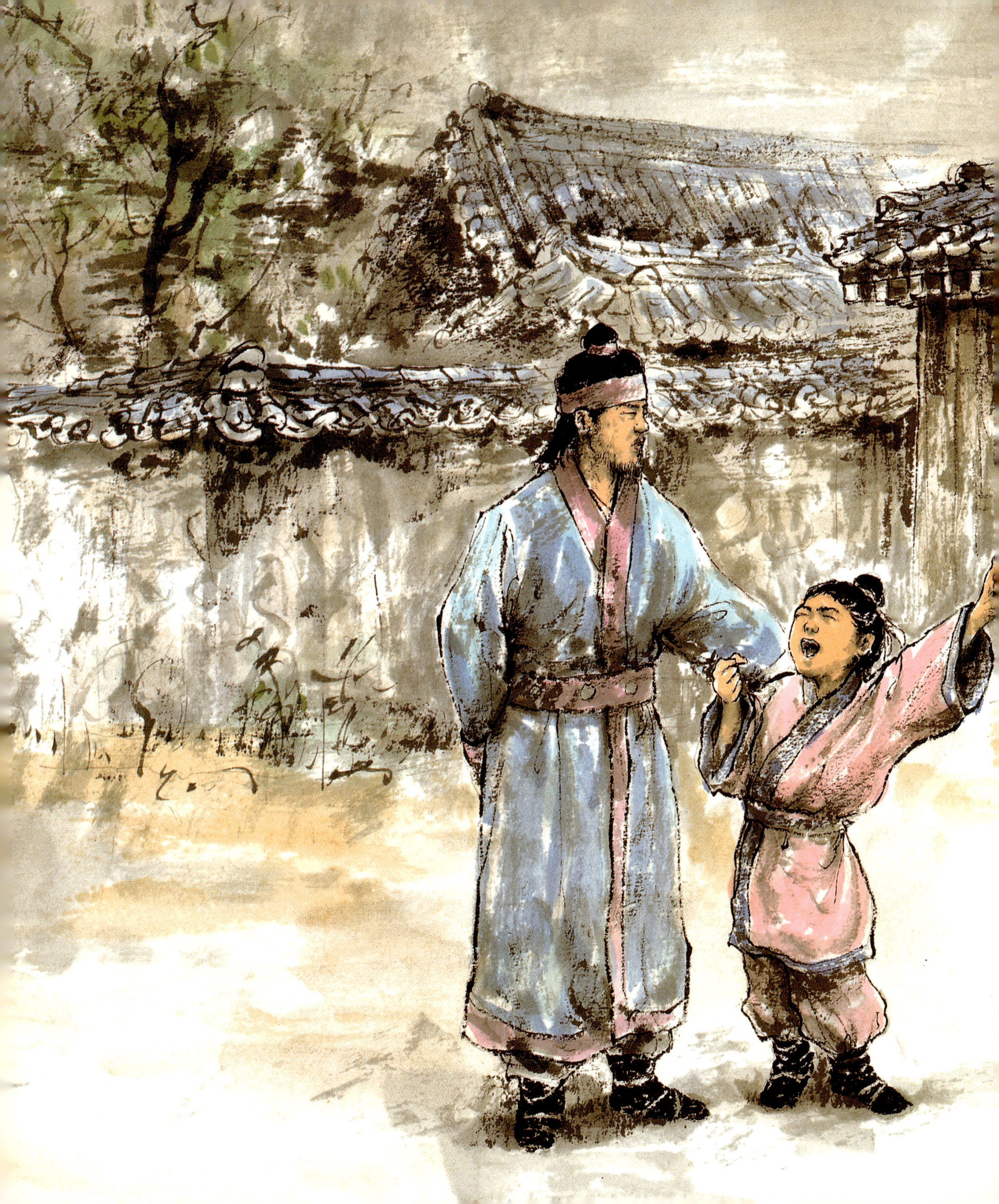

원술이 집으로 돌아왔을 때는 이미 날이 어두워진 뒤였어요.
'지금 들어가면 또 아버지에게 종아리를 맞겠지.'
원술이 조용히 마당을 가로질러 가는데 누군가가 불쑥 나타났어요.
원술의 아버지 김유신이었어요. 김유신은 커다란 손을 들어 올렸어요.
원술은 눈을 질끈 감았지요.
그런데 김유신은 원술에게 무언가를 건네주었어요.
그것은 작고 멋진 칼이었어요.
"원술아, 나는 너에게 큰 기대를 걸고 있단다.
그래서 너를 더 엄격하게 대하는 것이니 아버지의 깊은 마음을 알아 주렴."
칼을 받아든 원술은 김유신을 꼭 끌어안았어요.
김유신은 원술의 등을 어루만지며 말했어요.
"너는 신라를 위해 큰일을 할 사람이다.
그러니 부디 건강하고 당당한 청년으로 자라야 한다."
"예, 아버지. 명심하겠습니다."
원술은 칼을 달빛에 비춰 보며 환하게 웃었어요.

그로부터 10년이 흘렀어요.

넓은 들판에 누런 흙먼지를 실은 바람이 몰아치고 있었지요.

이 흙바람 속에서 신라군과 당나라군이 서로 노려보며 서 있었어요.

신라군 진영에서는 황금색 깃발이 힘차게 펄럭거렸어요.

황금색 깃발 아래에서 젊은 장수가 이글이글 불타는 눈으로 당나라군을 노려보았어요.

바로 원술이었지요.

아버지 김유신에게 칼을 선물 받은 그날부터 원술은

학문과 무예에 열중하여 화랑*으로 뽑혔고 이번 전쟁에 참가하게 되었지요.

'나쁜 놈들! 감히 우리 신라를 넘보다니!'

원술은 이를 악물었어요.

신라군과 당나라군은 함께 힘을 합쳐 백제와 고구려를 쓰러뜨렸어요.

그런데 신라를 이용해 백제와 고구려를 친 다음

신라를 전부 차지하려는 속셈이었던 당나라가 신라를 공격해 온 것이지요.

*화랑 : 신라 때 무예를 익히고 심신을 단련하여 삼국 통일에
이바지한 청소년 수련 단체나 그에 속한 사람

원술이 칼을 뽑아 들고 외쳤어요.
"신라는 피땀 흘려 고구려와 백제를 물리쳤다.
이제 와서 당나라에 나라를 빼앗길 수는 없다. 진격하라!"
두둥 두둥 두두둥!
북 소리가 울려 퍼지자 신라군은 함성을 지르며 적을 향해 달려 나갔어요.
당나라 군대도 맞서서 달려왔어요.
와아아! 와아아!

칼과 칼이 부딪치고, 창과 창이 부딪치며 불꽃이 튀었어요.
화살이 흙바람을 뚫고 공중을 날아다녔어요.
"으악!"
"우욱!"
많은 병사들이 화살에 맞거나 칼을 맞고 쓰러졌어요.
원술의 명령에 따라 신라군은 함성을 지르며 당나라군을 공격했어요.
당나라군은 조금씩 흐트러지기 시작했지요.

"당나라군이 달아난다! 한 놈도 살려 두지 마라!"
"와와와!"
그런데 뜻밖의 일이 벌어졌어요.
갑자기 요란한 함성을 울리며 나타난 낯선 군사들이 신라군의 뒤를 공격하기 시작했어요.
바로 말갈* 군대였지요.
"아뿔싸! 속았구나!"
원술은 당황했어요.
당나라는 미리 말갈과 손을 잡고 신라를 공격하기로 했던 거예요.

*말갈 : 한반도 동북부 및 만주 일대에 거주하던 퉁구스계 종족

당나라군과 말갈군이 양쪽에서 공격하는 바람에
신라군은 힘없이 쓰러지고 말았어요.
전쟁에서 졌다는 것을 깨날은 원술이
칼을 휘두르며 당나라군을 향해 달려갔어요.
'나는 신라의 화랑이다! 화랑은 전쟁터에서 죽을지언정
절대로 물러서지 않는다!'

그때 누군가 원술을 막고 나섰어요.

원술의 충성스러운 부하 담릉이었지요.

담릉은 원술에게 애원했어요.

"지금 적진으로 가시면 그대로 죽을 수밖에 없습니다."

"비켜라! 나는 죽으러 가는 것이다."

"안 됩니다. 지금 당장은 억울하셔도 후퇴하셨다가 다음번 기회를 노리십시오."

그러자 원술이 분노에 떨며 외쳤어요.

"나는 신라의 화랑이다! 전쟁터에서 죽을지언정 절대로 물러설 수는 없다. 비켜라!"

원술이 나아가려 하자 담릉은 원술의 말고삐를 빼앗아 들고 사정했어요.

"원술님! 신라에는 원술님 같은 장수가 필요합니다.

 부탁이니 제발 이번에는 목숨을 아끼시고 다음 기회에 복수하도록 하십시오."

그러자 원술도 조금씩 마음이 흔들렸어요.

'담릉의 말이 옳다. 죽는다고 해서 전쟁의 결과가 달라지는 것은 아니다.'

원술은 담릉의 말을 받아들이고 살아남은

군사 몇 명을 이끌고 돌아왔어요.

원술이 전쟁에서 지고 돌아오자 김유신은 불같이 화를 냈어요.
"나는 네가 화랑으로서 전쟁에서 승리하기를 원했다.
지더라도 마지막 순간까지 싸우다 죽어 명예를 지켜야 하거늘
너는 전쟁에서 졌을 뿐만 아니라 심지어 네 부하들이
죽는 것을 보면서도 비겁하게 혼자 도망쳐 나왔다.
너는 오늘부터 내 아들이 아니다!"

김유신의 호통에 원술은 무릎을 꿇은 채 눈물만 흘릴 뿐이었어요.
그러자 담릉이 안타까운 마음에 김유신 앞에 나서서 말했어요.
"장군님! 모든 것이 제 잘못입니다. 원술님께서는 적진으로 가서 싸우려 하셨는데 제가 말렸습니다. 제가 원술님께 일단 살아남았다가 다음 기회를 노리자고 했습니다."
그러나 김유신은 발을 구르며 화를 냈어요.
"아무리 담릉이 사정했다 하더라도 너의 마음이 흔들린 것을 용서할 수 없다. 당장 나가거라. 너는 오늘부터 화랑도 아니고, 내 아들도 아니다!"
원술은 묵묵히 집을 나왔어요.

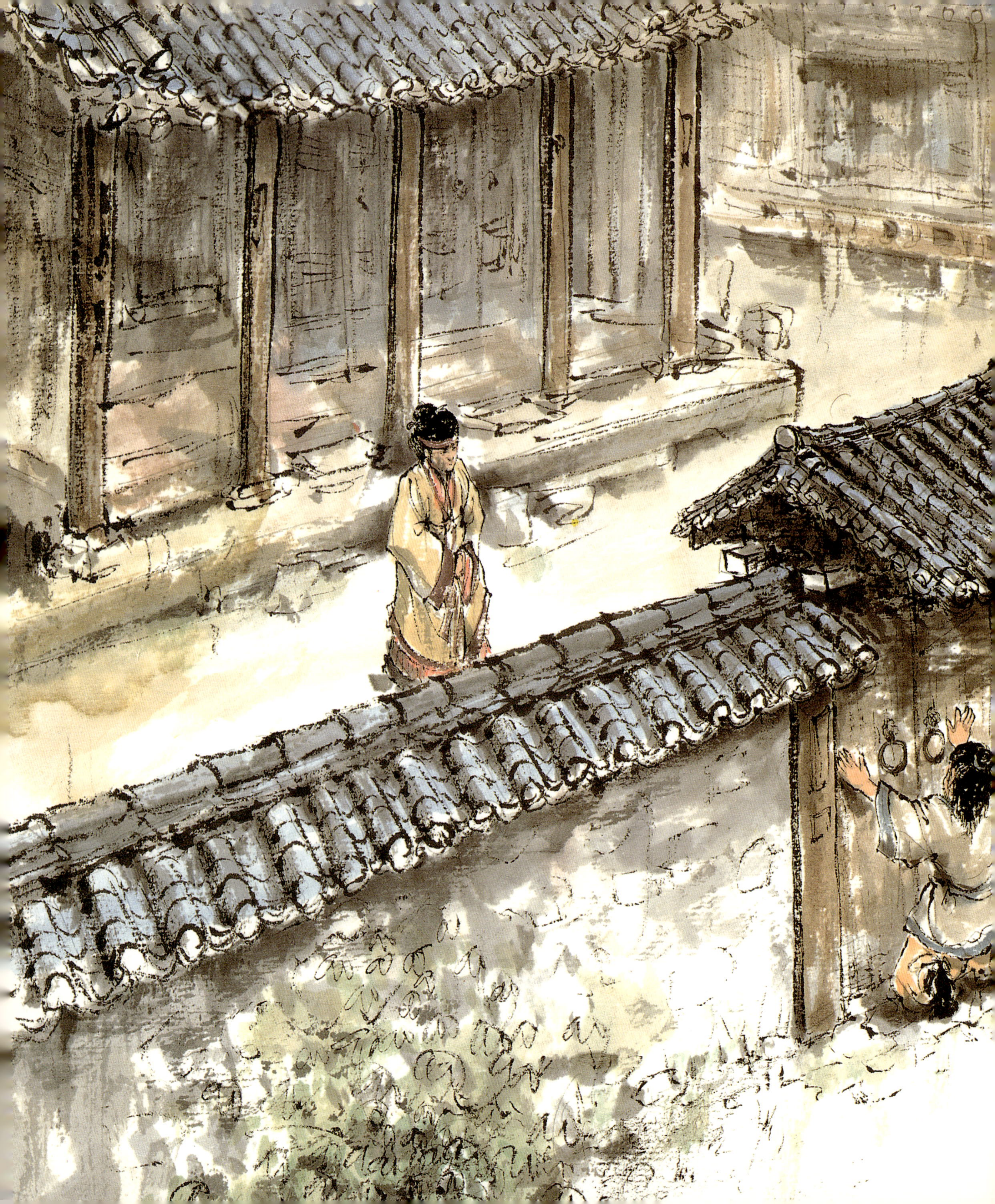

집을 나온 원술은 절로 들어가
잘못을 뉘우치며 기도했어요.
그러던 어느 날, 슬픈 소식이 들려왔어요.
아버지 김유신이 세상을 떠났다는 소식이었지요.
원술은 정신없이 집으로 달려왔어요.
원술은 굳게 닫힌 대문을 두드리며 어머니를 불렀어요.
"어머니! 아버지께서 돌아가셨다고 들었습니다.
부디 마지막으로 한 번만 아버지 모습을 뵙게 해 주십시오."
이때 대문 쪽으로 걸어오는 발소리가 들렸어요.
"도대체 밖에 있는 사람은 누구인데 이렇게 시끄럽소?"
어머니의 목소리를 들은 원술은 세차게 대문을 치며 외쳤어요.
"어머니! 문 좀 열어 주십시오. 저는 어머니의 아들 원술입니다."
그러나 어머니는 문을 열어 주지 않은 채 차갑게 쏘아붙였어요.
"나에게는 원술이라는 아들이 없으니 돌아가시오!"
아버지는 물론 어머니에게까지 용서를 받지 못하자 원술은 견딜 수 없이 슬펐어요.
며칠 동안 대문 앞에서 울던 원술은 어딘가로 사라져
오랫동안 세상에 모습을 드러내지 않았어요.

원술은 새로운 각오를 했어요.

'그래. 나는 이 치욕을 씻지 않는 한 절대로 당당한 자식으로 인정받을 수 없다.

치욕을 씻는 길은 하나밖에 없다.

내 손으로 당나라군을 무찌르고 신라를 지키는 것이다.'

이렇게 결심한 원술은 태백산 깊이 들어갔어요.

그리고 그곳에서 병법*을 공부하고 열심히 무예를 닦았어요.

원술이 사라진 후 원술의 재능을 몹시 아까워하던 문무왕은 몇 번이나 사람을 풀어

원술을 찾았지만 번번이 허사였어요.

그러는 사이 신라 사람들은 원술을 잊어 갔어요.

*병법 : 군사를 지휘하여 전쟁하는 방법

김유신이 세상을 떠났다는 소식을 들은 당나라 황제는 몹시 기뻐했어요.

"이제 김유신이 죽었으니 신라군은 허수아비나 다름없다.

이제 아무것도 두려울 것이 없다. 게다가 김유신의 아들 원술까지 사라졌다고 하니 이번에야말로 신라를 공격할 좋은 기회다."

이렇게 생각한 당나라 황제는 신라로 쳐들어왔어요.
사기가 크게 떨어진 신라 군사는 아무리 공격 명령을 내려도
제대로 싸워 보지도 않고 뿔뿔이 흩어져 달아나 버렸어요.

그때 한 무리의 군사들이 함성을 지르며 신라군에 가세했어요.
그리고 조금의 빈틈도 없이 조직적으로 당나라군을 무찌르기 시작했지요.
그 군사들은 갑옷도 입지 않고
짐승 가죽으로 만든 거친 옷을 걸치고 있었어요.
그러나 어떤 군대보다 용감하게 잘 싸웠지요.
신라 장군들은 군대를 지휘하고 있는 장수를 보고 깜짝 놀랐어요.
그 장수는 원술이었어요.

가죽옷을 입은 군사들은 그동안 원술이
태백산에서 훈련시킨 부하들이었어요.
원술은 맨 앞에서 적에게 칼을 휘두르며 용감하게 싸웠어요.
"원술이다! 김유신 장군의 아들 원술이 살아 돌아왔다!"
이제 신라 군사들은 다시 용기를 되찾았어요.
"와! 원술이 돌아왔다! 싸우자!"
신라군은 원술의 지휘에 따라 당나라군을 몰아세우기 시작했어요.
원술의 지휘 아래 똘똘 뭉친 신라군은 당나라군을 이길 수 있었어요.

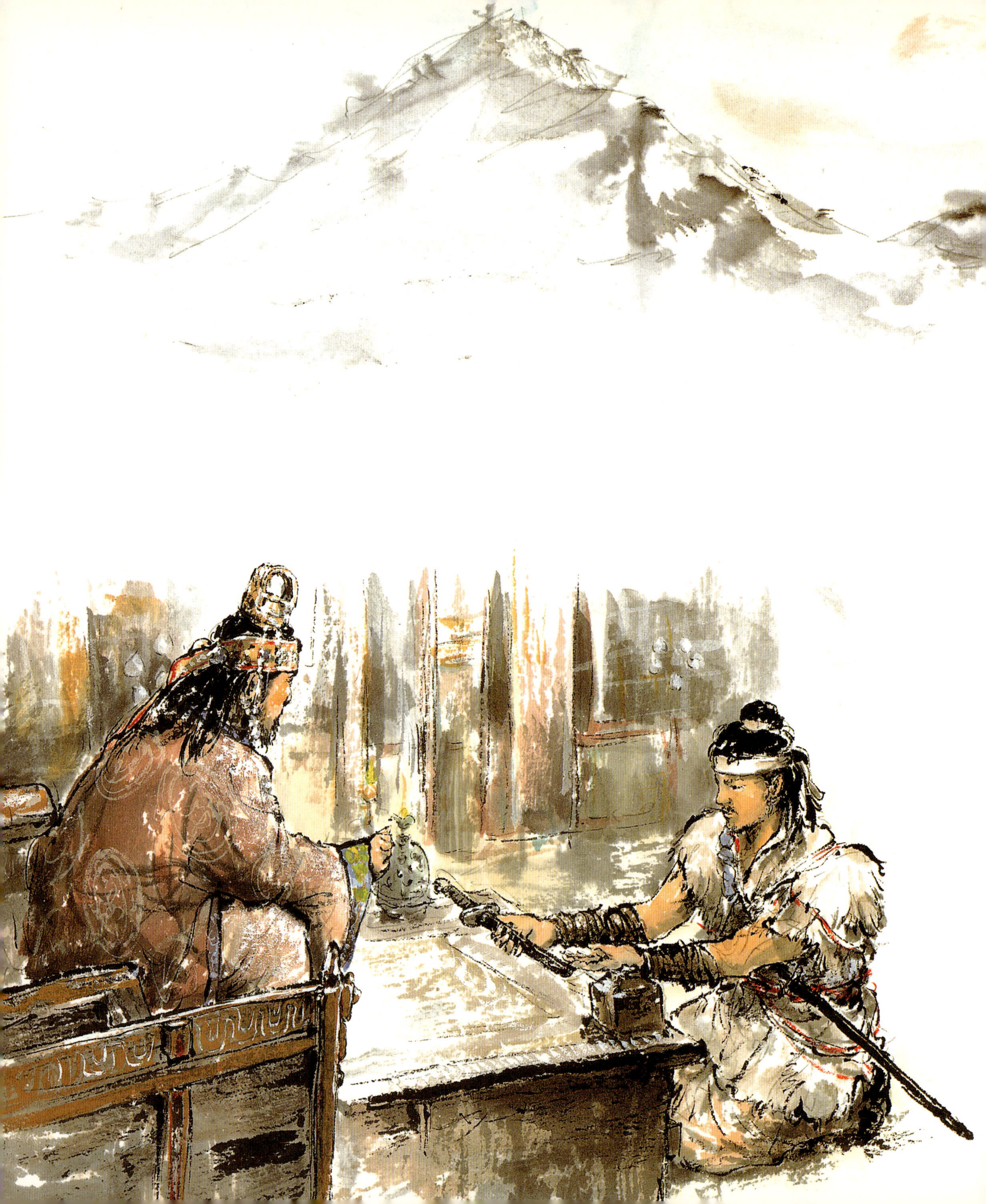

전쟁에서 승리를 거둔 후 원술은 문무왕 앞에 불려 갔어요.

"원술! 그대가 우리 신라를 구했으니 그대의 공을 세상에 널리 알리고

그대에게 큰 벼슬을 내리겠노라."

그러나 원술은 품속에서 칼을 하나 꺼내며 말했어요.

"이것은 제 아버지 김유신 장군이 제게 주신 선물입니다.

아버지는 이것을 주시며 신라를 위해 큰일을 하라고 하셨습니다.

그런데도 저는 전쟁에서 지고 비겁하게 혼자 도망친 죄를 지었습니다.

이제 그 치욕을 씻고 돌아가신 아버지께 얼굴을 들 수 있게 되었으니

그것으로 만족하옵니다."

말을 마친 원술은 자리에서 일어나 문무왕에게 절을 올렸어요.

"앞으로도 신라에 어려운 일이 생기면 저는 산에서 내려와 목숨을 걸고 싸우겠습니다.

그러나 벼슬이나 상은 필요 없습니다."

그렇게 대궐을 나온 원술은 다시 부하들을 이끌고 산으로 들어갔어요.

그 후로는 아무도 원술을 본 사람이 없었다고 해요.

화랑의 명예와 자존심을 되찾은

원술

사람은 누구나 실수를 합니다. 그러나 실수를 하는 것은 크게 부끄러운 일이 아니에요. 실수를 한 후에 자신의 잘못을 깨닫지 못하는 것이 부끄러운 일이지요. 신라 화랑이었던 원술은 자신의 실수를 부끄럽게 여겨 명예를 회복하기 위해 평생을 노력한 훌륭한 사람입니다.

원술은 신라 명장 김유신의 둘째 아들로 태어났습니다. 원술은 어려서부터 신라를 위해 모든 것을 바쳐야 한다는 교육을 받으며 자랐지요.

672년에 당나라군과의 전투에서 패한 원술이 살아 돌아오자 김유신은 아들 원술을 죽이려 했으나 문무왕이 용서를 해 주었습니다. 원술은 집에도 들어가지 못하고 김유신이 죽었을 때 장례식에도 참석하지 못했으며 어머니도 원술을 만나 주지 않았어요. 원술은 새로운 결심을 하고 산속으로 들어가 무예를 닦았습니다.

그리하여 675년 당나라가 매소성으로 쳐들어왔을 때, 과거의 치욕을 씻기 위해 죽기를 다짐하고 싸워 큰 공을 세웠습니다. 하지만 부모에게서 용서받지 못한 것을 한탄해 평생 벼슬을 하지 않고 숨어 살았다고 합니다.

'권토중래'라는 말이 있습니다. 넘어진 사람은 그 땅의 흙을 움켜쥐고 다시 일어서야 한다는 뜻이지요. 즉, 실수와 실패를 하게 되면 물러서지 말고 다시 도전해야 한다는 교훈을 주는 말입니다. 화랑의 명예와 자존심을 지킨 원술이야말로 '권토중래'의 교훈을 행동으로 보여 준 용기 있는 사람입니다.

「원술은 자신의 실수에 책임을 지고 명예와 자존심을 되찾기 위해 평생을 바쳤어요」

기원전 57년	512년	532년	660년	668년
신라 건국	우산국 정복	금관가야 정복	백제 정복	고구려 정복

원술과 관련 있는 인물들

김유신 : 원술의 아버지

김유신은 용맹과 지략이 뛰어난 신라의 명장으로 가야 왕족 출신입니다. 삼국 통일 후인 672년 아들 원술이 석문 싸움에 출전했으나 패하고 살아서 돌아오자 가문의 명예를 더럽혔다며 목을 벨 것을 문무왕에게 청했으나 문무왕이 허락하지 않았습니다.

지소 부인 : 원술의 어머니

태종무열왕의 딸로 김유신의 부인입니다. 김유신과의 사이에 삼광, 원술, 원정, 장이, 원망 등 아들 다섯과 딸 넷을 두었습니다. 자녀들에 대한 법도가 엄하였고 내조의 공이 많아 712년 8월에 '부인(지체 높은 여인에게 내리는 칭호)'이 되었습니다.

알고 싶은 요모조모

삼국 통일 이후의 화랑 제도

화랑 제도는 신라가 삼국 통일을 완성하던 태종무열왕과 문무왕 시기에 가장 발전했습니다. 그러나 삼국 통일 이후 나라가 안정을 되찾고 태평성대가 이어지자 화랑 제도는 특유의 정신을 잃어버리고 점점 빛을 잃어 갔지요. 결국 신라 말기에는 '화랑'이란 말도 사라져, '국선' 또는 '선량'이라 불리다가 신라가 멸망하면서 함께 사라지게 됩니다.

- 672년 원술 석문 전투에서 당나라군에 패하고 후퇴함
- 675년 원술 매소성에서 당나라군 격퇴
- 676년 삼국 통일 통일 신라 시대 시작
- 828년 청해진 설치
- 888년 향가집 《삼대목》 편찬
- 935년 신라 멸망

궁금증을 풀어 주는 미로여행

Q1 신라 시대에 **화랑**은 모두 몇 명이었나요?

Q2 왜 화랑은 전쟁터에서 **후퇴**하면 안 되었을까요?

Q3 삼국 통일 후에도 신라는 계속 **전쟁**을 했는데 왜 그럴까요?

Q4 **매소성 전투**에서 공을 세운 후 지소 부인은 원술을 용서했나요?

화랑의 기록을 담고 있는 《화랑세기》라는 책을 보면, 신라 시대를 통틀어 화랑은 **약 200명** 정도였다고 해요. 화랑 한 명을 따르는 낭도의 수가 많으면 수천 명 정도나 되었다고 하니 신라 시대에 화랑이 된다는 것이 얼마나 명예로운 일이였는가를 알 수 있지요.

당시 화랑은 대부분 귀족과 왕족의 자제들이었어요. 즉, 신라의 **지도층**이었지요. 지도층이 모범을 보여야만 백성이 따른다고 믿어 화랑들은 목숨을 바쳐 지도층으로서의 책임을 졌던 거예요.

사실 신라 혼자 힘으로 삼국을 통일한다는 것은 어려운 일이었지요. 그래서 신라는 삼국 통일을 이루면 당나라에게 대동강 이북의 땅을 주겠다고 약속했지요. 그러나 **당나라**가 다른 신라 땅까지 욕심내자 전쟁이 일어났던 거예요.

원술은 매소성 전투에서 공을 세운 후 다시 **어머니**를 찾아가지만 이때도 원술은 어머니를 만나지 못하지요. 지소 부인은 '아비에게 이미 아들 노릇을 하지 않았는데 어찌 내가 어미가 될 수 있냐.' 며 원술의 청을 물리쳤어요. 결국 원술은 눈물을 흘리며 다시 산속으로 들어갔고 그 후 다시는 세상에 나오지 않았답니다.